W9-ABC-576

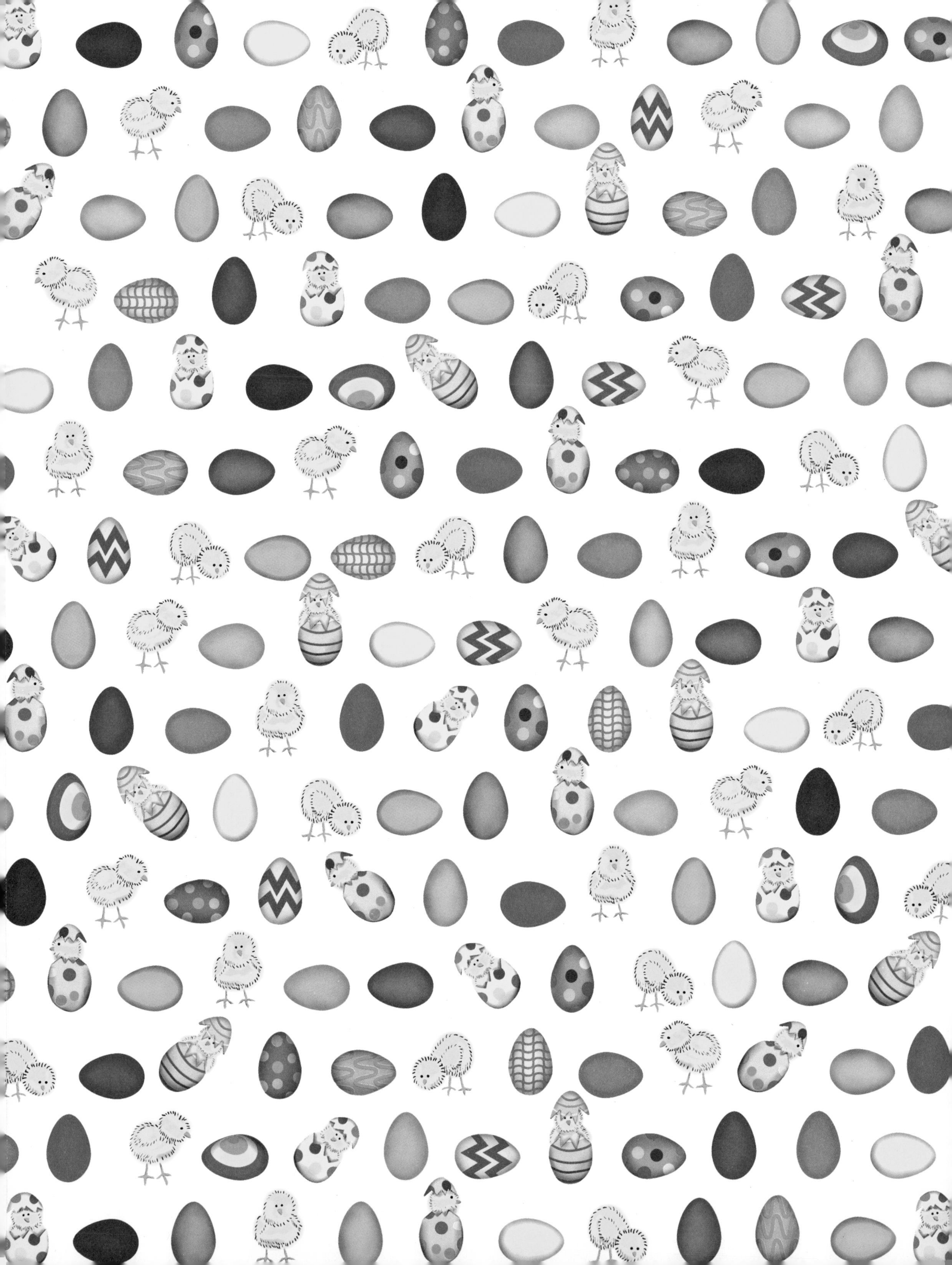

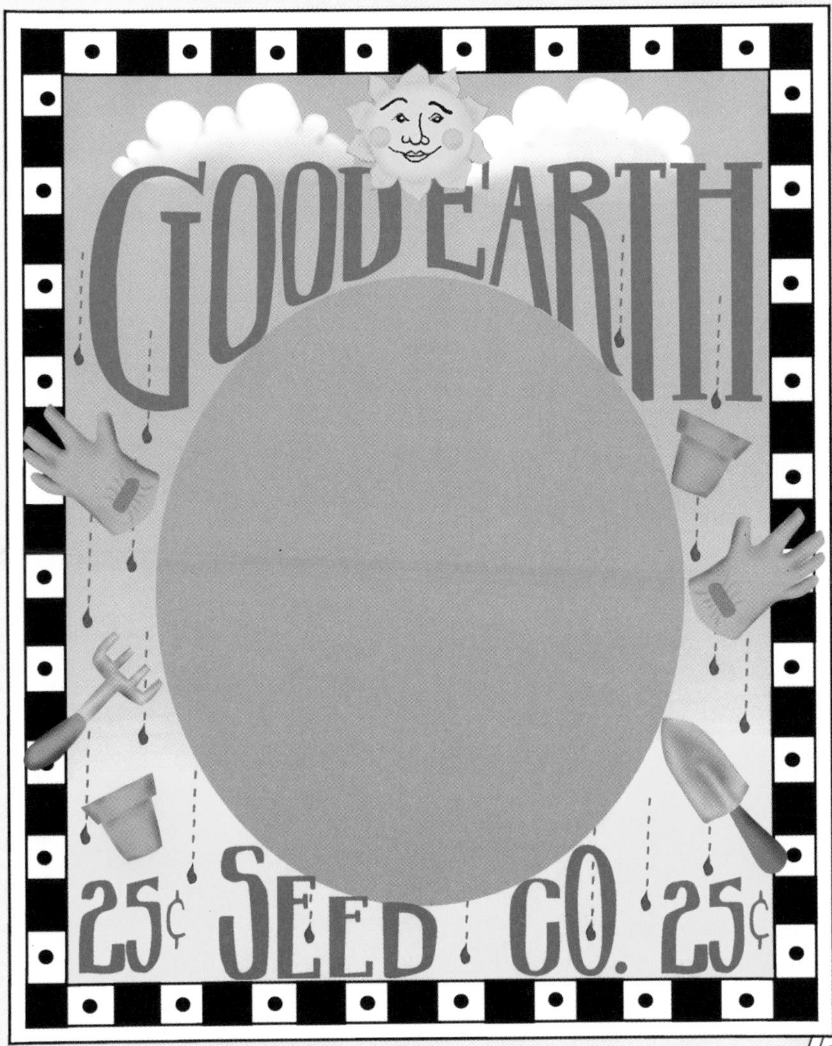
GOOD EARTH
25¢ SEED CO. 25¢

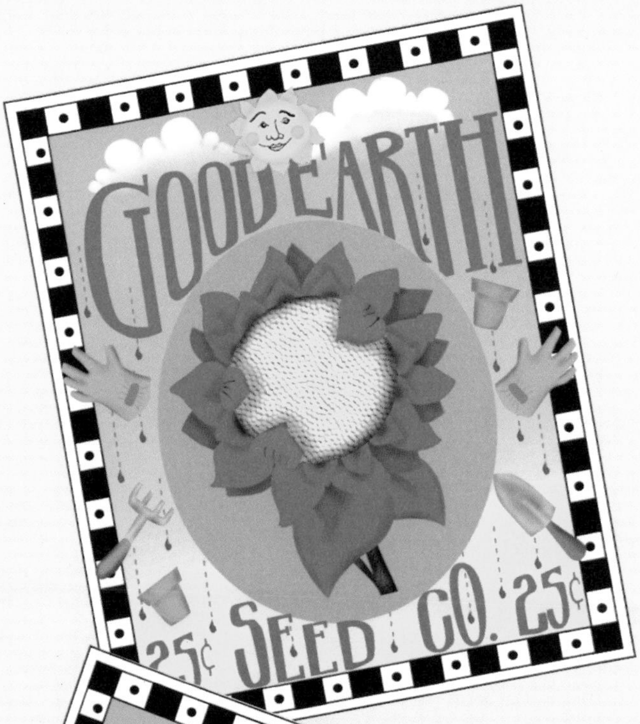
GOOD EARTH
25¢ SEED CO. 25¢

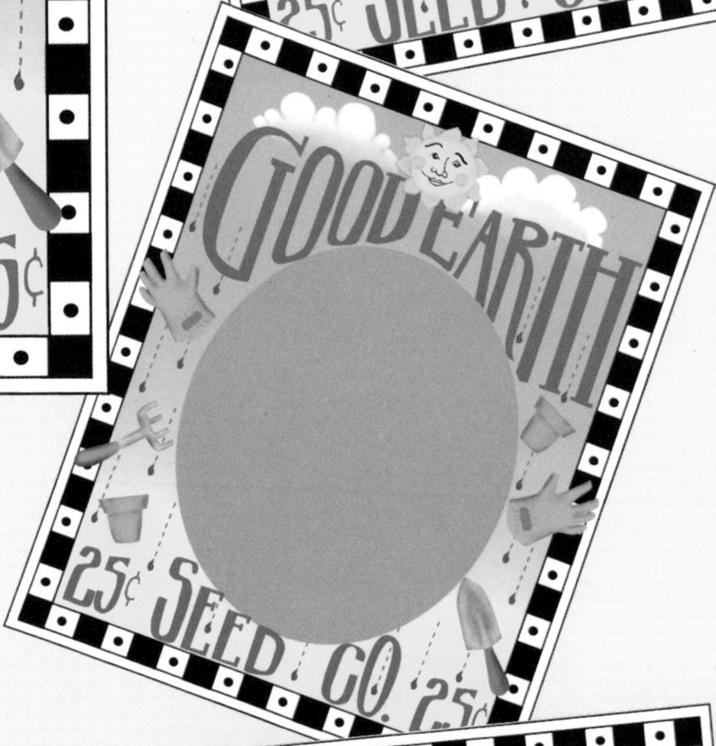
GOOD EARTH
25¢ SEED CO.

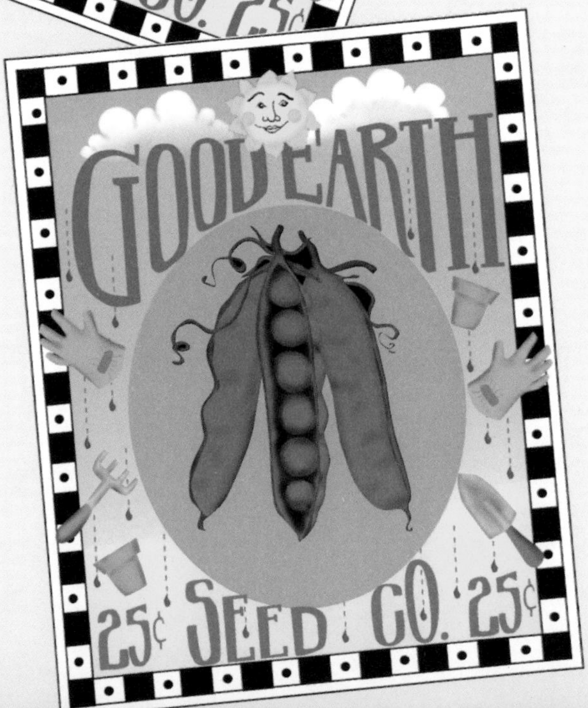
GOOD EARTH
25¢ SEED CO. 25¢

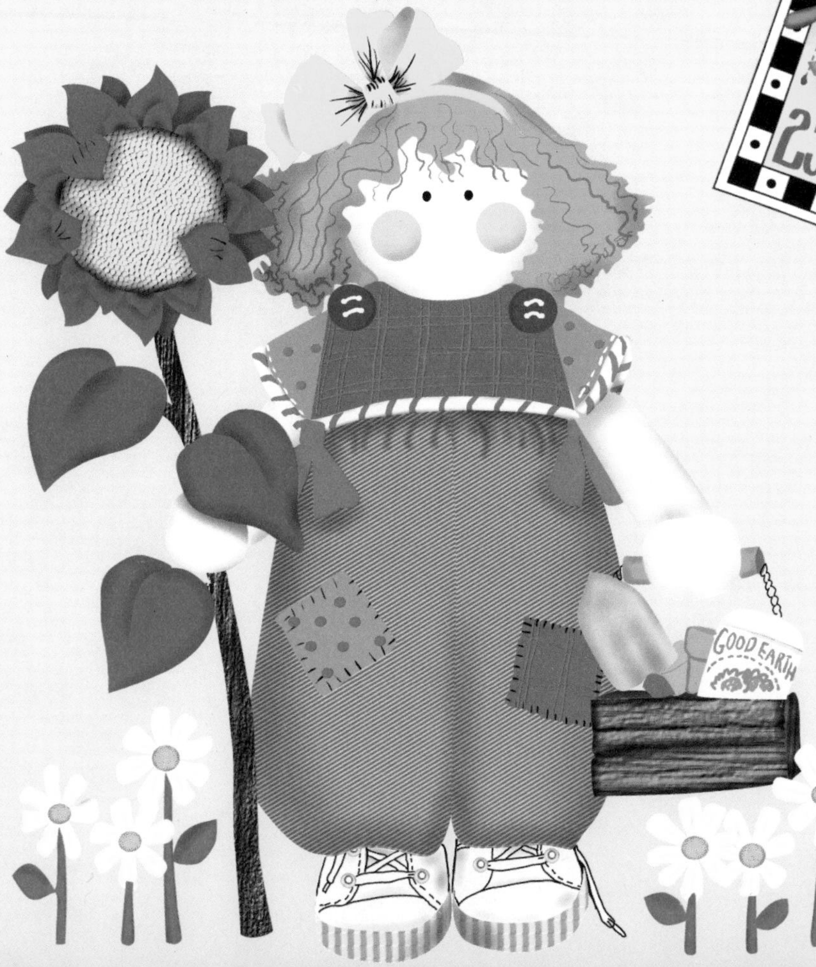
GOOD EARTH

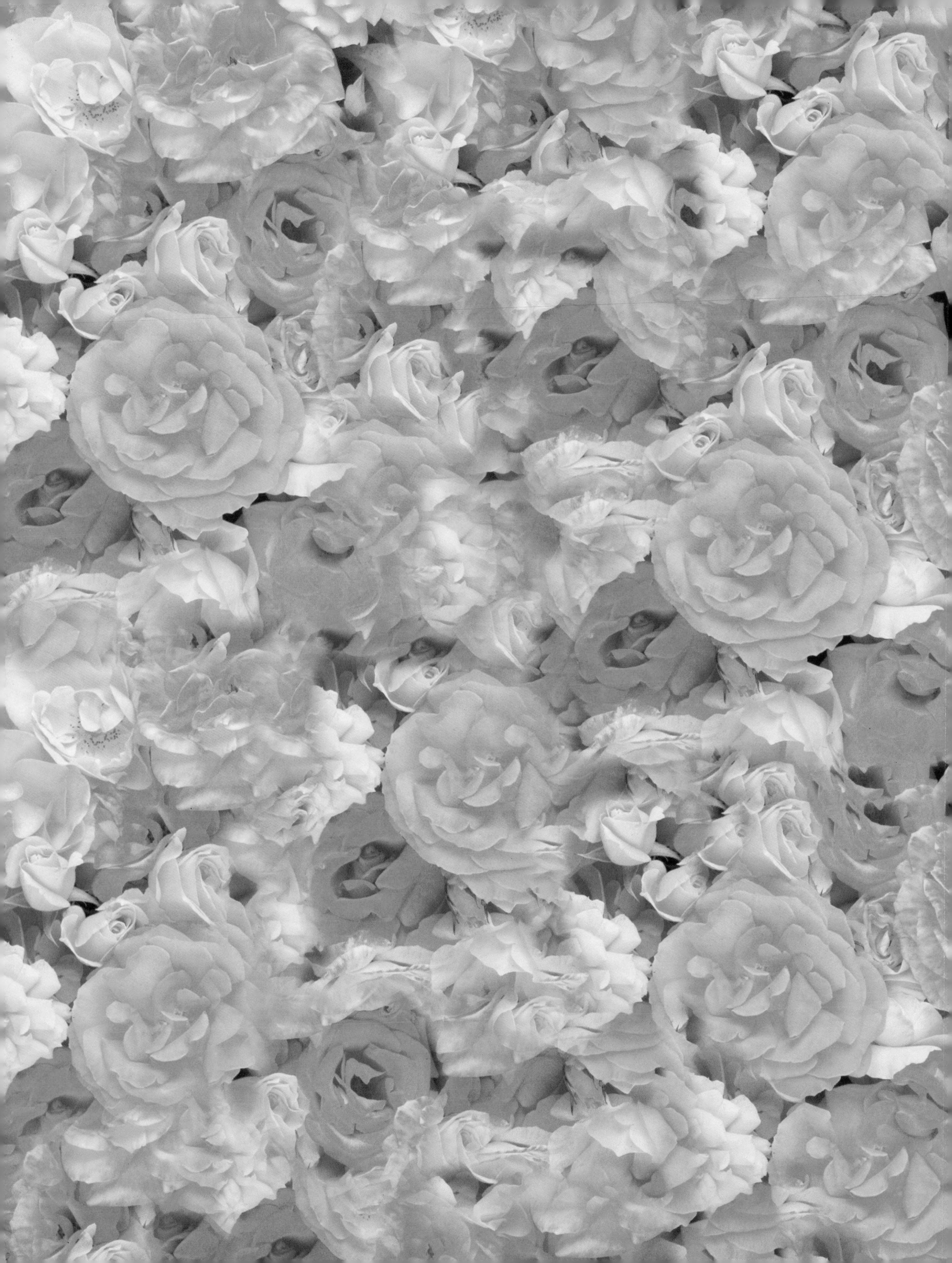

POPS
PAPPA
Dada
DADA
Pa
Daddy
Father
FATHER
DAD
Pops
PA
Pappa
Papa
Pop

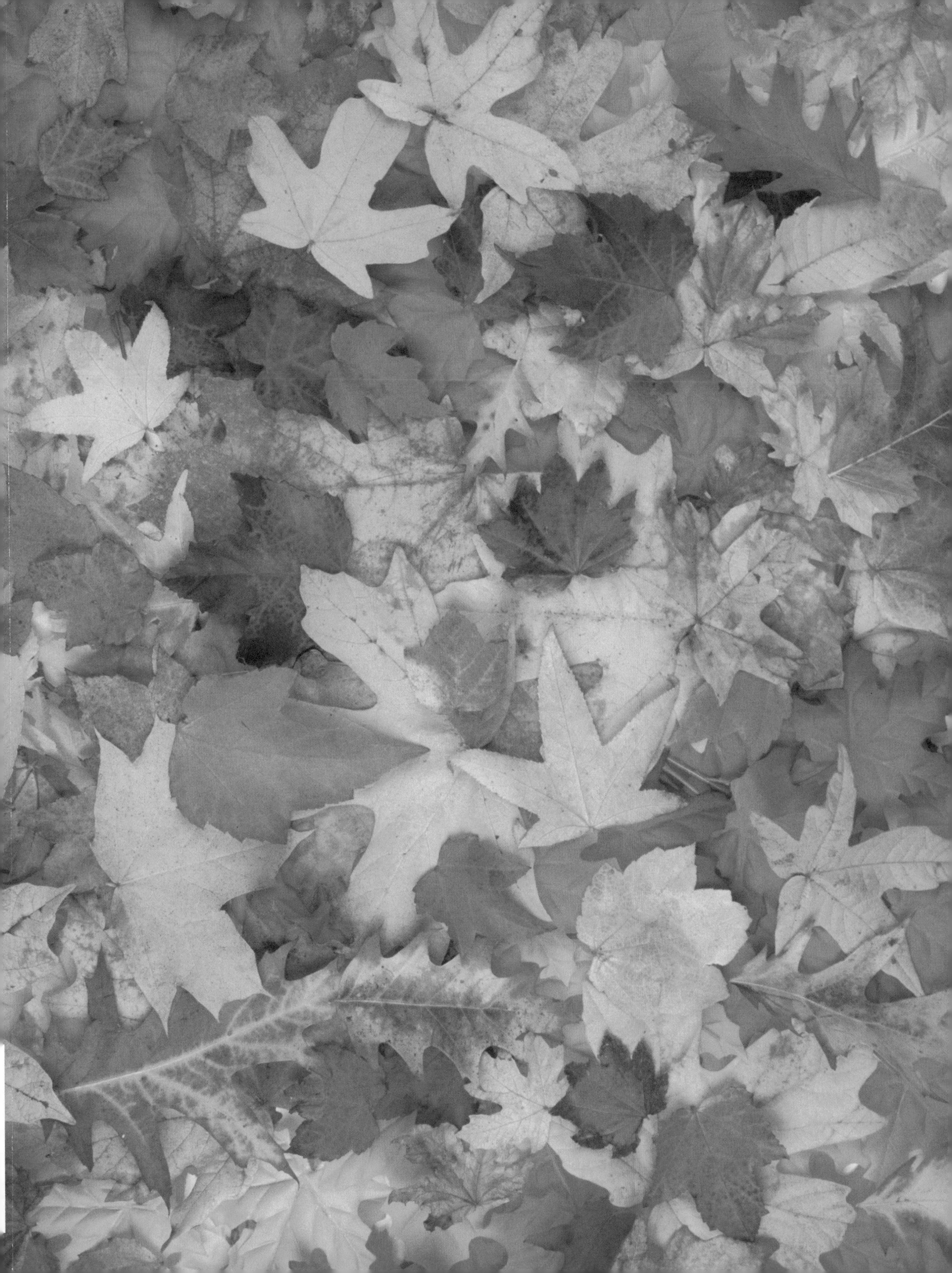

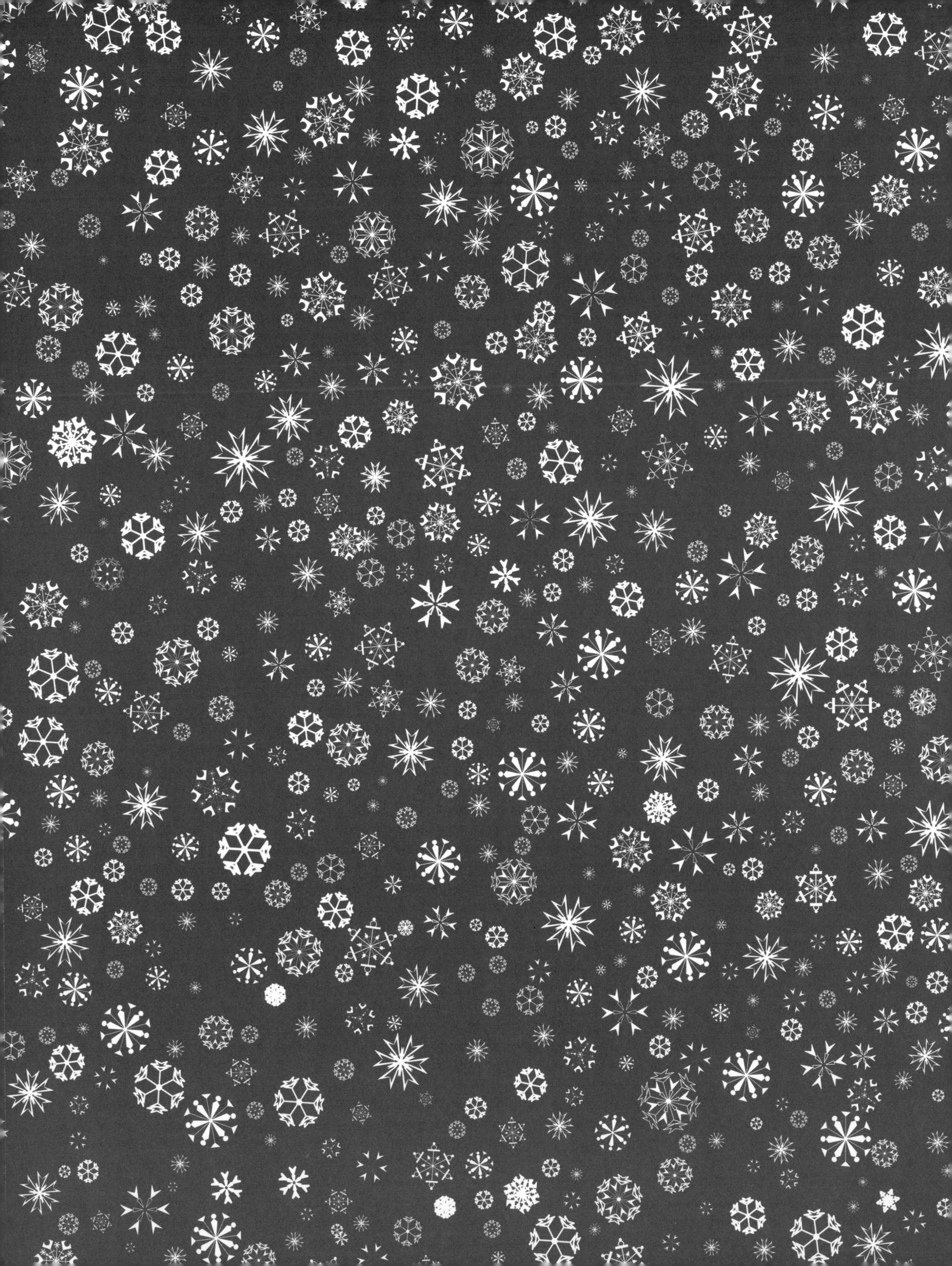

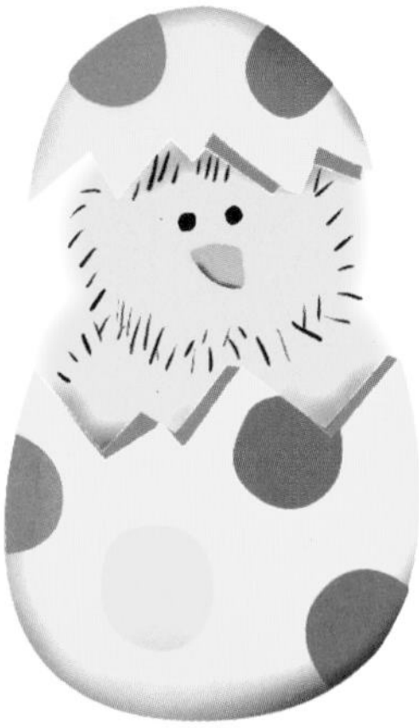
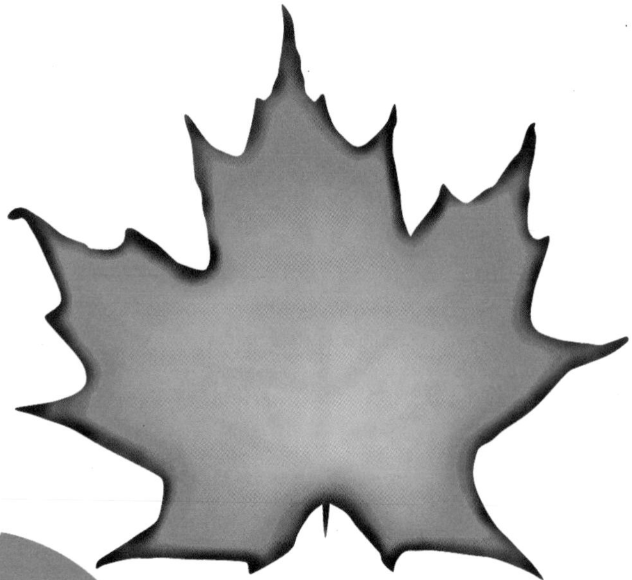
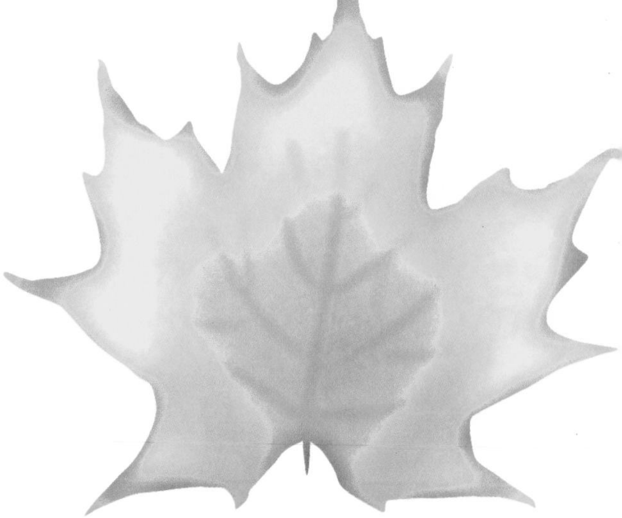
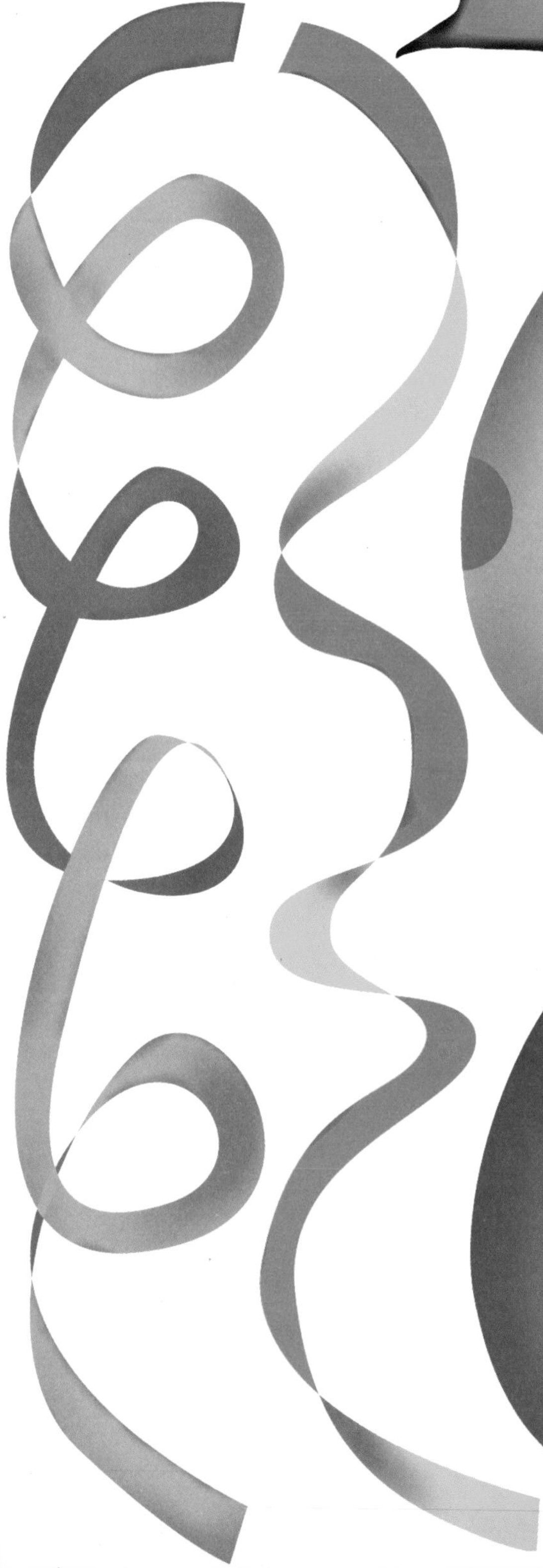
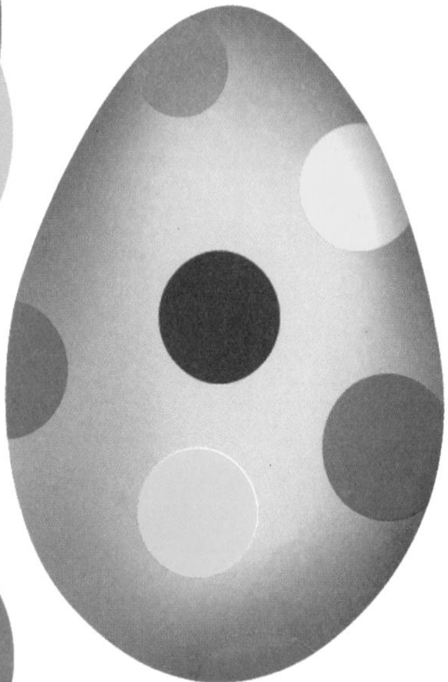
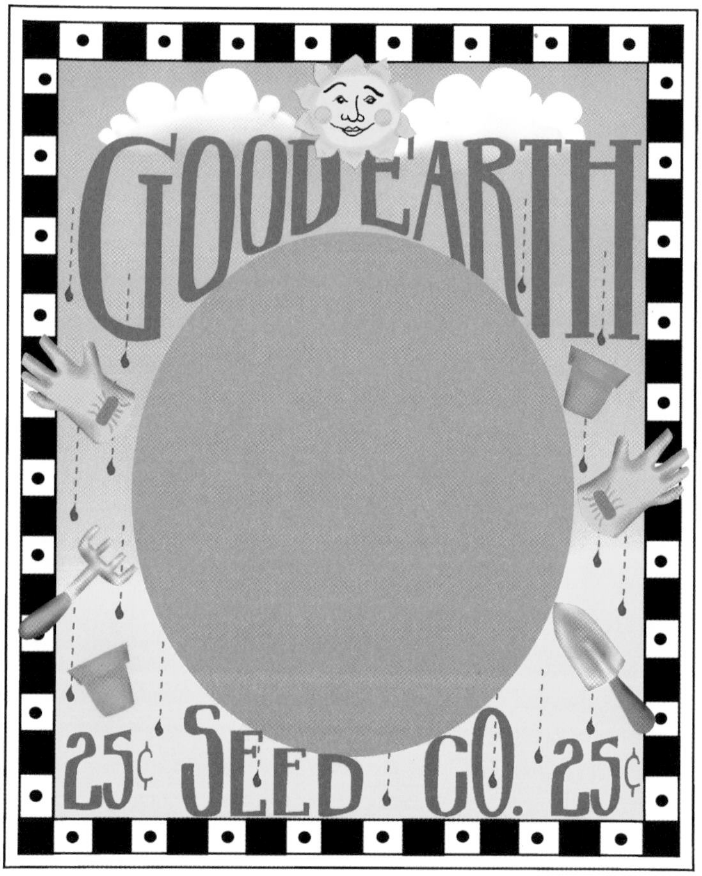
GOOD EARTH
25¢ SEED CO. 25¢
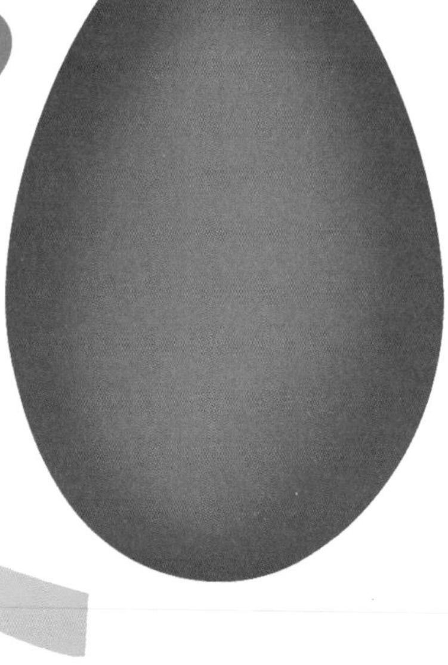